ACA. Cancilleria. reg. 2196
(*Gratiarum* VIII del rei Martí), fols. 2v°-3v°

ACA. Cancillería. reg. 2196
(*Gratiarum* VIII del rey Martín), fols. 2v°-3v°

Civitatis barchinone

In nomine domini. Nos Martinus rex. Assidua cura excellentie nostre regalis exagitat qualiter regna et terre nostre virorum scientificorum artificialium decorentur ut nostri fideles regnicole scientiarum fructum quos inde sument esurientes paratam mensam in regnis nostris et terris inveniant nec cogantur propterea regna expetere aliena et quos ingeniorum nativa fertilitas ad consilia reddit alta perspicuos artis scientiarum preditos publice faciat eruditos. Quare in Civitate Nobilissima barchinone que tamquam primis amenitate prefulgens et insignium hospitalaria facultatum se prebet docentibus et addiscentibus graciosam. Duximus tenore presentis statuendum ordinandum et etiam faciendum studium generale artis amplissime regentie medicine que inter utilissimas artes necessaria cernitur ad sustentacione indigentie fragilitatis humane artis et cum ipsa periclitantibus morbis quibuslibet medica gratia semper assistit et adversus dolores pro viribus in benevolentiate confligit et hos sublevare conatur quinimmo nullis dumptaxat nullaque possint dignitas imbuere milites credimus gloriosius reputamus quod id posse expellere quod videtur morte inferre dicti milites pluribus certe quod salutem periclitantibus reddere de qua e contra sepissime nullam sperare salutem. In quo quidem studio valeant per Cancellarium decanum aut alios ad quos pertinet studentes quos Cancellarii decani aut alii supradicti aptos reppererint ad gradum magisterii licenciati aut bacallarii assumi publice et attolli. Et ut studium ipsum maioris dignitatis exsurgat et amplioris etiam facultatis ipsum supradictis privilegiis et libertatibus duximus decorandum. Nam ipsius et magistris licenciatis et scolaribus ac universitati ipsius studii concedimus presentis temporibus in perpetuum quod annis singulis tradantur de facto et tradi etiam debeant universitati predicte per vicarium aut officiales alios barchinone saltem duo dampnati ad mortem suspensi submersi vel iugulo resoluti ad faciendum anothomiam de corporibus eorum et ad universitatis predicte liberam voluntatem dumtaxat evenit etiam quod aliqui fuerint iussu curie in dicta civitate ~~[illegible]~~ cuiuscumque legis conditionis aut sexus existant dummodo oriundi non sint Civitatis barchinone predicte. Ita quod sine requisitione per universitatem predictam aut alium deputatum ad ipsa statim ipso homine vel muliere

dempto sine impedimento quocumque sub pena mille solidorum corpus iustitie predicte tradatur ne
operacio anotomie predicte valeat impediri quequidem corpora cum de eisdem anotomia facta
fuerit ut prefertur ecclesiastice tradi habeant sepulture expensis universitatis jamdicte. Indulgemus
etiam statuimus et volumus sub pena predicta quod nullus presumat vel audeat in Civitate
eadem suburbiis terminis vel territoriis eius legere palam publice vel occulte de sciencia
medicine nisi fuerit de gremio universitatis jamdicte nec possit etiam practicare nisi fuerit titulo
magisterii insignitus. Concedimus insuper studio et universitati predicte omnia et singula privilegia pero
gativas libertates franchitates et immunitates eadem hic ~~expressa per~~ per predecessores nostros
et alios concessa studio et universitati ville Montispessulani quibus magistri licentiati stu
dentes et etiam tota universitas predicta possint et valeant bene libere et gaudere sicuti et fru
possent per privilegia prerogativas libertates franchitates et immunitates eadem hic expressa
posita et notata fuissent. Item concedimus et etiam indulgemus universitati predicte quod omnes vel
illa pars eorum que videatur eisdem possit impune ac libere se ubicumque et quotienscumque
voluerint congregare et statuta et ordinaciones quascumque convenientia utilitati et bono uni
versitatis jamdicte parare Campanam et sigillum tenere ac Capsiam ordinare et facere consilia pa
tentia vel secreta tenere et consiliarios clavarios procuratores creare et facere Cancellarium et decanum aut
~~aut~~ alium quotienscumque voluerint titulo intitulandum eligere constituere ponere et creare qui iure eius illam
habeant potestatem quam habent Cancellarius et Decanus studii ville Montispessulani predicte quod
quidem consilium cum creatum et firmum fuerit ut prefertur illam et eandem habeat facultatem et illa possit
parare que posset tota universitas congregata. Et presentes studium supradictum amplectentes gratia
ampliori ipsum necnon magistros licentiatos studentes bidellos familiam et bona eorum et ipsorum
cuiuslibet sub nostris specialibus constituimus et ponimus protectione salvaguardia custodia et coman
da. Mandantes per hanc eandem Gubernatori Cathalonie vicario et baiulo necnon Consilia
riis et universitati civitatis Barchinone ceterisque officialibus locatis presentibus et futuris sub amissione nostre
gratie et incidendo ac pena mille florenorum auri nostro applicandorum erario quatenus concessionem huiusmodi
et omnia et singula contenta in ea teneant firmiter et observent tenerique et observari faciant in
concusse et non contraveniant vel aliquem seu aliquos contravenire permittant aliqua racione.
Nos enim eis et eorum cuilibet faciendi oppositum omne posse tollimus cum presenti. In cuius rei testimo
nium presentem fieri iussimus maiestatis nostre sigillo appendicio munitam. Datum Barchinone X
die Januarii anno a Nativitate domini M° cccc° i° regnique nostri sexto. Martinus Rex.

Signum   Martini etc. Regis dicti.

Testes sunt:
Petrus Cardinalis Cathalanie   Johannes Episcopus Barchinonensis   Berengarius de Crudiliis
Jacobus de Prades Admiratus   Petrus Sicilie   Bernardus de Montecatheno
miles Camerlengi

Sig+num mei Guillermi Poncii secretarii serenissimi domini regis Aragonum qui de
mandato eiusdem hec scribi fecit et clausit. 3

Dominus rex mandavit mihi
G. Poncii
p sugo

T R A N S C R I P C I Ó

Civitatis Barchinone

In Dei nomine. Nos Martinus, etc. Assidua cura excellencie nostre regalis exagitat qualiter regna et terre nostre virorum scientificorum artificialiter decorentur ut nostri fideles regnicole scienciarum fructuum, quos indesinenter esuriunt, paratam mensam in regnis nostris inveniant nec cogantur propterea regna excollere aliena, et quos ingeniorum nativa fertilitas ad concilia reddit alta prospicuos, ars subscripta perutilis faciat eruditos. Quare, in civitate nobilissima Barchinone, que tamquam situs amenitate perfulgens et singularium hospitalaria facultatum se prebet docentibus et adiscentibus graciosam, ducimus, tenore presentibus, statuendum, ordinandum et eciam faciendum studium generale artis auxiliaris et egregie medicine, que inter utilissimas artes necessaria cernitur ad sustentacionem indigencie fragilitatis humane; ars etenim ipsa periclitantibus morbis quibuslibet materna gracia semper assistit et adversus dolores pro naturali imbecillitate confligit et hos sublevare conatur quibus nulle divicie nullave possunt dignitas subvenire, nilque credimus graciosius reputari quam id posse expellere quod videtur mortem inferre dietim nilque placibilius certe quam salutem periclitantibus reddere de qua est coactum sepissime nullam sperare salutem, in quo quidem studio valeant per cancellarium, decanum aut alios ad quos spectet studentes quos cancellarii, decani aut alii supradicti aptos reppererint, ad gradum magisterii, licenciati aut bacallarii assumi, provehi et attolli. Et ut studium ipsum maioris dignitatis existat et amplioris eciam facultatis, ipsum subscriptis privilegiis et libertatibus ducimus decorandum, ipsique et magistris, licenciatis et scolaribus ac universitati ipsius studii concedimus perpetuis temporibus cum presenti, quod annis singulis tradantur de facto et tradi eciam habeant universitati predicte per vicarium aut officialem alium Barchinone saltem duo dampnati ad morten suspensi, submersi vel iugulo resoluti, ad faciendum anotomiam de corporibus eorumdem ad universitatis predicte libitum voluntatis, dumtamen evenerit casu quod aliqui fuerint iussu curie interfecti, cuiuscumque legis, condicionis aut sexus existant dummodo oriundi non sint civitatis Barchinone predicte, ita quod, facta requisicione per universitatem predictam aut alium deputatum ad ista, statim ipso homine vel muliere occiso, sine impedimento quocumque sub pena mille solidorum, corpus interfecti predicti tradatur ne operacio anotomie predicte valeat impediri; quequidem corpora, cum de esidem anotomia facta fuerit, ut prefertur, ecclesiatice tradi habeant sepulture expensis universitate iamdicte. Indulgemus necminus, statuimus et volumus sub pena predicta quod nullus presumat vel audeat in civitate eadem, suburbiis, terminis vel territoriis eius legere palam publice vel occulte de sciencia medicine nisi fuerit de gremio universitatis iamdicte, nec possit eciam practicare nisi fuerit titulo magisterii insignitus. Concedimus inquam studio et universitati predicte omnia et singula privilegia, prerrogativas, libertates, franchitates et immunitates per predecessores nostros et alios concessa studio et universitati ville Montispesulani quibus magistri, licenciati, studentes et eciam tota universitas supradicta possint et valeant uti libere et gaudere sicuti et prout possent si privilegia, prerrogative, libertates, franchitates et immunitates eedem hic expressa, posita et nominata fuissent. Item concedimus et eciam indulgemus universitati predicte quod omnes vel illa pars eorum que videatur eisdem, possint impune ac libere se ubicumque et quocienscumque voluerint congregare et statuta et ordinaciones quecumque concernencia utilitatem et bonum universitatis iamdicte peragere, campanam et sigillum tenere ac caxiam ordinare et facere, consilia patencia vel secreta tenere, et consilium certarum personarum creare et facere, cancellariumque et decanum aut alium quocumque voluerint titulo nuncupatum eligere, cons-tituere, ponere et creare qui super eis illam habeant potestatem quam habeant cancellarius et decanus studii ville Montispesulani predicte; quodquidem consilium, cum creatum et factum fuerit, ut prefertur, illam et eandem habeant facultatem et illa possit peragere que posset tota universi-

T R A D U C C I Ó

Ciutat de Barcelona

En nom de Déu. Nós, Martí, etc.

La continuada atenció que la nostra reial excel·lència exerceix ens duu a decorar convenientment els nostres regnes i terres amb homes de ciència per tal que els nostres fidels regnícoles, que de forma contínua devoren els fruits de les ciències, tinguin la taula parada i no els calgui, per aquestes causes, habitar terres alienes, i perquè a aquells als qui el seu natural enginy els duu a altes actuacions, l'art subscrita els faci erudits. Per això, en la nobilíssima ciutat de Barcelona, que com a lloc esplendent en amenitat i acollidora del talent dels individus apareix agradable a docents i a discents, amb la tenor de les presents, establim, ordenem i creem un estudi general de l'art auxiliar i egregi de la medicina, la qual entre les arts útils, es presenta com a necessària per al sosteniment de la misèria de la humana fragilitat; dita art, en efecte, assisteix sempre amb maternal atenció els qui es troben afectats per les malalties i lluita contra els dolors engendrats per la natural flaquesa i intenta alleujar-los a aquells als qui ni les seves riqueses ni el seu rang social poden per si mateixos ajudar, i res creiem que pugui ésser jutjat més grat que poder expel·lir allò que sembla produir la mort, i res més agradable que tornar als malalts la salut, de la recuperació de la qual havien ja desesperat. En la qual facultat als estudiants que siguin jutjats aptes pel canceller, els degans i pels altres als qui correspongui, se'ls puguin concedir i atorgar, i puguin ésser assumits al grau de llicenciat o de batxiller. I per tal que dit estudi existeixi amb més gran dignitat i més gran capacitat, hem decidit ornar-lo amb els subscrits privilegis i llibertats, i a ell i als seus mestres, llicenciats i escolars i a la universitat del dit estudi concedim de forma perpètua que, si es donés el cas que hi haguessin executats per ordre de la cúria, cada any els siguin lliurats i els hagin de ser lliurats, pel veguer o per un altre oficial de Barcelona, per tal de realitzar la dissecció dels seus cossos, almenys dos condemnats a mort per forca, ofegament o degollament, de qualsevol condició i sexe siguin mentre no siguin oriünds de Barcelona, de tal manera que, feta la reclamació per la universitat o per qualsevol en el seu nom, immediatament després de l'execució de l'home o la dona, sense cap mena d'impediment sota pena de mil sous, els siguin lliurats els cossos per fer la dissecció; dits cossos, un cop dissecats, siguin lliurats a sepultura eclesiàstica a càrrec de la universitat. Concedim, establim i volem que en la ciutat, suburbi, terme i territori, ningú que no pertanyi a la corporació de dita universitat, pugui impartir lliçons públicament ni oculta de medicina, i no pugui practicar la medicina si no posseix el títol de mestre. Concedim a l'estudi i universitat susdita tots i cadascun dels privilegis, llibertats, prerrogatives, franqueses i immunitats concedides per nós i els nostres avantpassats a la universitat de Montpeller, de les quals els mestres, llicenciats, estudiants i tota la universitat puguin gaudir i usar lliurement com podrien fer-ho si els privilegis, prerrogatives, franqueses i immunitats fossin enumerades, posades i expressades aquí. Concedim i atorguem igualment a dita universitat que tots els seus membres o la part d'ells que els semblés puguin, impunement i lliure, on i quantes vegades vulguin, reunir-se i donar-se estatuts i ordinacions relatives a la utilitat i bé de dita universitat, tenir campana i segell i tenir i organitzar la seva caixa, tenir consells oberts o secrets, crear i fer consell de determinades persones, elegir, posar i crear canceller i degà o altres amb el títol que els sembli, que sobre ells tinguin el poder que té el canceller i el degà de l'estudi de la vila de Montpeller; dit consell, un cop creat, tingui el mateix poder i pugui fer tot allò que podria fer la totalitat de la universitat. I desitjant que dit estudi rebi més grans gràcies, posem i col·loquem sota nostra especial protecció, salvaguarda, custòdia i encomanda dit estudi, els seus mestres, llicenciats, estudiants, llurs mullers i família, i els seus béns. Manant al governador de Catalunya, al veguer i al batlle i als consellers i comú de la ciutat de Barcelona, i als seus lloctinents presents i futurs, sota pena de pèrdua de la nostra gràcia i mercè, i sota pena de mil florins per al nostre erari, que aquesta concessió, i totes i cada una de les coses en ella contingudes, compleixin fermament i observin, i facin complir i observar de forma inconcussa, i no vagin ni permetin que ningú no vagi contra ella per cap raó. Atès que nós, mitjançant la present, que ordenem redactar en testimoni de tot l'anteriorment dit, segellada amb el nostre segell penjant de nostra majestat, els llevem tot poder d'actuar-hi en contra. Donat a Barcelona el 10 de gener de l'any de la Nativitat del Nostre Senyor 1401, el sisè del nostre regnat. Matia, vicecanceller.

Sig *(en blanc)* ne de Martí, etc. Rei Martí

Són testimonis: Pere, cardenal de Catània; Joan bisbe de Barcelona; Jaume de Prades almirall del regne de Sicília; Berenguer de Cruïlles, Roger de Montcada, cavallers, camarlencs.

Sig *(signe)* ne de Guillem Ponç, secretari del rei d'Aragó, qui d'ordre seva va fer escriure això i ho tancà.

El rei m'ho manà a mi, Guillem Ponç

Comprovat. Hug.

Traducció: **Rafael Conde y Delgado de Molina.** *Arxiu de la Corona d'Aragó*

T R A D U C C I Ó N

Ciudad de Barcelona

En nombre de Dios. Nos Martín, etc. La continuada atención que nuestra real excelencia mantiene nos lleva a ornar convenientemente nuestros reinos y tierras con hombres de ciencia a fin de que nuestros fieles regnícolas encuentren en nuestros reinos y tierras la mesa puesta con los frutos de las ciencias que de forma infatigable consumen y no necesiten por ello habitar en otras ajenas, y a que el utilísimo arte suscrito haga eruditos a aquellos a quienes su natural ingenio los lleva a importantes actuaciones. Por tanto, en la ciudad de Barcelona, que como lugar esplendente en amenidad y acogedora del talento de los individuos, aparece grata a docentes y a discentes, con tenor de las presentes establecemos, ordenamos y creamos un estudio general del arte auxiliar y egregio de la medicina que, entre las artes útiles, se presenta como necesaria para el sostenimiento de la miseria de la humana fragilidad; dicho arte, en efecto, asiste siempre con maternal atención a quienes se encuentran afectados por las enfermedades, y lucha contra los dolores engendrados por la natural flaqueza, e intenta aliviarlos a aquellos a quienes ni sus riquezas ni su rango social pueden por sí mismos ayudar, y nada creemos que pueda ser juzgado más grato que poder expeler aquello que parece producir la muerte, y nada más agradable que devolver a los enfermos la salud de cuya recuperación habían ya desesperado. En cuya facultad a los estudiantes que sean juzgados aptos por el canciller, los decanos y otros a quienes corresponda, se les pueda conceder y otorgar, y puedan ser asumidos al grado de licenciado o de bachiller. Y para que dicho estudio tenga mayor dignidad y mayor capacidad, hemos decidido ornarlo con los privilegios y libertades más abajo contenidas, y a él y a los maestros, licenciados y escolares y a la universidad de dicho estudio concedemos de forma perpetua que, si se diera el caso de que hubiera ejecutados por orden de la curia, cada año se les entregue y se les haya de entregar, por el veguer, o por otro oficial de Barcelona, para realizar la disección de sus cuerpos, al menos dos condenados a muerte por horca, por ahogamiento o por degollación, de cualquier condición y sexo sean mientras no sean oriundos de Barcelona, de tal modo que, hecha la reclamación por la universidad o por cualquiera en su nombre, inmediatamente tras la ejecución del hombre o la mujer, sin impedimento alguno, bajo pena de mil sueldos, le sean entregados sus cuerpos para poder realizar su disección; dichos cuerpos, una vez diseccionados, sean entregados a sepultura eclesiástica a costas de la universidad. Concedemos, establecemos y queremos que en la ciudad, suburbio, término y territorio, nadie que no pertenezca a la corporación de dicha universidad, pueda impartir lecciones pública o ocultamente de medicina, ni pueda practicar la medicina si no posee el título de maestro. Concedemos al estudio y universidad antedicha todos y cada uno de los privilegios, prerrogativas, libertades, franquicias e inmunidades concedidas por nos y nuestros antepasados a la universidad de Montpeller, de las cuales los maestros, licenciados, estudiantes y toda la universidad puedan gozar y usar libremente como podrían si los privilegios, prerrogativas, franquicias e inmunidades fuesen enumeradas, puestas y expresadas aquí. Concedemos y otorgamos igualmente a dicha universidad que todos sus miembros o la parte de ellos a quienes les pareciere, puedan impune y libremente, donde y cuantas veces quieran, reunirse y darse estatutos y ordenazas relativas a la utilidad y bien de dicha universidad, tener campana y sello y tener y organizar su caja, tener consejos abiertos o secretos, crear y hacer consejo de determinadas personas, elegir, poner y crear canciller y decano o a otros, con el título que les pareciere, que sobre ellos tengan el poder que tiene el canciller y el decano del estudio de la villa de Montpeller; dicho consejo, una vez creado, tenga el mismo poder y pueda hacer todo aquello que podría hacer la totalidad de la universidad. Y deseando que dicho estudio reciba mayores gracias, ponemos y colocamos bajo nuestra protección, salvaguarda, custodia y encomienda a dicho estudio, a sus maestros, licenciados, estudiantes, a sus esposas, su familia y sus bienes. Mandando al gobernador de Cataluña, al veguer y al baile y a los consellers y común de la ciudad de Barcelona, y a sus lugartenientes presentes y futuros, bajo pérdida de nuestra gracia y merced y bajo pena de mil florines de oro aplicaderos a nuestro erario, que esta concesión y todas y cada una de las cosas en ella contenidas, cumplan firmemente y observen, y hagan cumplir y observar de forma inconcusa, y no vayan ni permitan a nadie, por causa alguna, ir contra ella. Puesto que nos, mediante la presente, que ordenamos redactar en testimonio de todo lo anterior, sellada con el sello pendiente de nuestra majestad, les quitamos todo poder de actuar en contra. Dado en Barcelona el 10 de enero del año de la Natividad del Señor 1401, el sexto de nuestro reinado. Matías, vicecanciller.

Sig *(en blanco)* no de Martín, etc. Rey Martín

Son testigos: Pedro, cardenal de Catania; Juan, obispo de Barcelona; Jaume de Prades, almirante del reino de Sicilia; Berenguer de Cruïlles, Roger de Montcada, caballeros, camarlengos.

Sig *(signo)* no de Guillem Ponç, secretario del rey de Aragón, que de orden suya hizo escribir ésto y lo cerró.

El rey me lo mandó a mí, Guillem Ponç.

Comprobado. Hugo.

Traducción: **Rafael Conde y Delgado de Molina.** *Archivo de la Corona de Aragón*

tas congregata. Et gescientes studium supradictum amplecti gracia ampliari, ipsum necnon magistros, licenciatos, studentes, uxores, familiam et bona eorum et ipsorum cuiuslibet, sub nostris specialibus constituimus et ponimus proteccione, salvaguardia, custodia et comanda. Mandantes per hanc eandem gubernatori Cathalonie, vicario et baiulo, necnon consiliariis et universitati civitatis Barchinone, dictorumque officialium locatententibus presentibus et futuris, sub amissione nostre gracie et mercedis ac pena mille florenorum auri nostro applicandorum erario, quatenus concessionem huiusmodi et omnia et singula contenta in ea teneant firmiter et observent, tenerique et observari faciant inconcusse, et non contraveniant vel aliquem seu aliquos contravenire permittant aliqua racione. Nos enim eis et eorum cuilibet faciendi oppositum omne posse tollimus cum presenti quam, in testimonium premissorum, fieri iussimus, maiestatis nostre sigillo appendicio communitam. Datum Barchinone X die ianuarii anno a nativitate Domini M° CCCCI°, regnique nostri sexto. Matias vicecancellarius.

Sig *(en blanco)* num Martini, etc. Rex Martinus.

Testes sunt: Petrus cardinalis Cathanie; Johannes episcopus Barchinone; Jacobus de Prades admirantus regni Sicilie; Berengarius de Crudiliis; Rogerius de Montecatheno milites camarlengi.

Sig *(cruz)* num Guillelmi Poncii, secretarii serenissimi domini regis Aragonum supradicti, qui mandato eiusdem hec scribi fecit et clausit.

Dominus rex mandavit mihi Guillelmo Poncii.

Probata. Hugo

Transcripció: **Rafael Conde y Delgado de Molina.** *Arxiu de la Corona d'Aragó*

P R E S E N T A C I Ó

La Universitat de Barcelona fa molt poc ha celebrat el 550 aniversari de la seva fundació. El 3 de setembre de 1450, el rei Alfons el Magnànim va concedir, a petició del Consell de Cent, el privilegi de fundació d'un Estudi General, a Barcelona, de totes les ciències i amb el mateix privilegi que Lleida i Perpinyà.

Però la història generalment és complexa, i això s'agreuja en les qüestions universitàries, ja que sovint al fet del prestigi que comporta la institució universitària, s'hi afegeix que la universitat comporta més llibertat i una sèrie de privilegis que habitualment (ara com abans) preocupen els governants.

Així, l'origen remot de la Universitat de Barcelona cal buscar-lo l'any 1398, en un primer intent per part del rei Martí l'Humà de donar una Universitat a la ciutat, que s'oposà rotundament a l'oferiment.

Finalment, vistes les dificultats, sense tenir l'autoritat papal i amb l'oposició del Consell de Cent, el 10 de gener de 1401, el mateix rei va atorgar el privilegi de fundació d'un Estudi de Medicina amb la mateixa prerrogativa que el de Montpeller. Per tant aquest passat 10 de gener de 2001, s'ha complert el 600 aniversari de la creació de la Facultat de Medicina.

La història de la Facultat a partir d'aquell moment tampoc va ser fàcil, encara que ha tingut un paper molt important i durant molts anys va ser la promotora dels avenços científics de la Medicina al nostre país i ha jugat un paper molt important en la introducció de la recerca en la tasca universitària i assistencial.

Ens ha semblat que fora interessant donar a conèixer aquest document que en realitat correspon a l'antecedent de l'inici de la pròpia Universitat, i que reflecteix històricament la marcada i intensa relació que sempre hi ha hagut entre la Universitat de Barcelona i la seva Facultat de Medicina.

El facsímil s'acompanya d'un erudit i interessant estudi del marc històric en què es va produir, escrit pel Professor Salvador Claramunt, catedràtic d'Història Medieval de la UB, per entendre bé el context de la seva problemàtica, juntament amb el comentari diplomàtic, la transcripció i la traducció del document fets pel Sr. Rafael Conde y Delgado de Molina, de l'Arxiu de la Corona d'Aragó, on està guardat.

Voldríem aprofitar per fer palesa la magnífica col·laboració que una vegada més hem trobat en la Fundació Uriach 1838, que ha contribuït decisivament a fer que aquest projecte fos una realitat, així com al Servei de Publicacions de la nostra Universitat per la seva il·lusió i dedicació en aquest treball.

Antoni Caparrós
Rector de la Universitat de Barcelona

Josep Antoni Bombí
Degà de la Facultat de Medicina

L'ESTUDI GENERAL DE MEDICINA
PRIMER ESTUDI GENERAL BARCELONÍ

La fundació i la consolidació del que després es conegué com la Universitat de Barcelona es van portar a terme durant un llarg i complicat procés que va durar des del 1398 fins al 1536 i que posà de manifest la sinuosa i dubitativa política universitària del Consell de Cent de Barcelona, així com la voluntat d'alguns monarques de la Corona d'Aragó de dotar d'un estudi general la ciutat de Barcelona.

Els veritables i llunyans orígens d'aquest procés, que culminà durant el regnat de Carles I, tenen les arrels en l'obstinada voluntat de Martí I l'Humà, l'últim sobirà de la línia successòria directa de la Casa Comtal de Barcelona.

La vertadera història no és una altra, com succeeix tants cops, que la història d'un desacord entre dues institucions per exercir el control sobre una institució que encara no havia nascut però que trencava el monopoli de l'exercici de la medicina en una ciutat. De fet, es preveia el futur enfrontament entre els metges que fins aleshores exercien amb el beneplàcit del municipi barceloní i els metges futurs que podien sortir d'un estudi general de medicina que la ciutat no havia sol·licitat.

Martí I l'Humà (1395-1410), que va ser un monarca modest però tenaç, segons Johannes Vincke,[1] va perseguir una política universitària notablement personal, d'alta volada i ben meditada.

Martí l'Humà va veure o va pressentir la futura evolució dels punts de vista en política universitària del seu pare, Pere el Cerimoniós, i del seu quadravi Jaume I, per l'interès que aquest havia mostrat en la Facultat de Dret de Montpeller. Però el rei Martí, en ensopegar amb alguns obstacles que se li van presentar, respectà el record del criteri dels seus predecessors i es veié obligat a deixar córrer alguna de les seves iniciatives.

1. *Die Hochschulpolitik der aragonesischen Krone im Mittelalter*, Braunsberg, 1942.

La medicina, que després es va acabar ensenyant en els estudis generals de medicina de l'Occident medieval i en les posteriors facultats, té els seus orígens en les escoles mèdiques de la ciutat de Salern, població situada al sud-est de Nàpols, a la regió de Campània. Salern -per la seva situació geogràfica pròxima a Sicília i pel seu emplaçament en un vertader enforcall de camins on abunden els monestirs, alguns dels quals conservaven la tradició mèdica clàssica- era un lloc en el qual també es palpava la influència de la cultura àrab i islàmica en general. Totes aquestes circumstàncies van permetre que en el segle XII ja existissin unes escoles mèdiques famoses pels seus antidotaris i pel fet d'haver-s'hi format metges de renom, sol·licitats pels pontífexs de Roma, els emperadors i certs reis.

Els esdeveniments polítics i el saqueig de Salern per part de l'emperador Enric VI el 1193 van fer que alguns metges emigressin al sud de França al llarg del segle XII, especialment a Provença i a la ciutat occitana de Montpeller, que des de feia poc temps estava vinculada a la Corona d'Aragó pel matrimoni de la filla del senyor de la ciutat, Maria, amb el rei d'Aragó i comte de Barcelona, Pere el Catòlic, ambdós pares de Jaume I.

Montpeller, que era pròxima al món hispànic i que estava situada en una àrea on abundaven els mercaders i els metges jueus, i a més tenia una influència de la cultura d'al-Andalus notable, aviat es convertí en el segon centre d'ensenyament mèdic del món cristià occidental. Salern i Montpeller van esdevenir, d'aquesta manera, els dos primers estudis generals dedicats a l'estudi i l'ensenyament de la medicina, tot i que en ambdós casos el reconeixement legal, el que avui anomenem *universitats*, no va arribar fins entrat el segle XIII, fet que no va impedir que els seus metges gaudissin ja de fama universal des del segle anterior.

Si considerem l'escola mèdica de Montpeller com la primera existent a la Corona d'Aragó, el segon centre d'ensenyament mèdic de la Corona fou l'anomenat Estudi General dels Dominics de Barcelona, present ja el 1297, any en què consta una subvenció del rei Jaume II per ajudar aquest estudi.

El tercer centre d'ensenyament mèdic de la Corona d'Aragó, i segon de Catalunya, fou el de la Facultat de Medicina de l'Estudi General de Lleida, estudi format per Jaume II el 1300 i que, segons el privilegi fundacional, tingué el monopoli de l'ensenyament universitari en tots els territoris de la Corona d'Aragó.

Finalment, arribem al quart centre d'ensenyament de medicina, el tercer de Catalunya per cronologia, l'Estudi General de Medicina de Barcelona, del qual aquest any 2001 celebrem el sis-cents aniversari de la seva fundació.

Antonio de la Torre a *Documentos para la historia de la Universidad de Barcelona*[2] presenta una desena de documents, inèdits fins en aquell moment, sobre l'Estudi General de Medicina, que va des del 1398 fins al 1408.

Martí l'Humà no podia ignorar que el Consell de Cent ja s'havia manifestat contrari, el 1377, al propòsit, que algú va emparar, de traslladar a Barcelona l'Estudi General de Lleida. El que realment rebutjava la rotunda negativa de les autoritats barcelonines no era únicament un possible trasllat, sinó la creació d'un estudi general a Barcelona. Malgrat aquests precedents, el rei, gairebé vint anys després, va oferir al Consell de Cent l'acceptació d'un privilegi que pensava demanar al pontífex, perquè Barcelona tingués un «Estudi General de tota facultat». Aquesta petició significava realment la fundació d'una tercera universitat a les terres catalanes, tot i existir ja les de Lleida i Perpinyà.

Aquesta carta del rei al Consell de Cent està datada el 23 de gener de 1398,[3] molt pocs mesos després del jurament del monarca a Saragossa. La idea de l'oferta del monarca sembla que era donar una satisfacció que afalagués els consellers de Barcelona, ja que amb la seva proposta augmentaria el prestigi de la ciutat per mitjà d'una institució -l'assoliment de la qual no estava a l'abast de les facultats dels consellers-, que, d'altra banda, no comprometia ni gravava la sempre raquítica hisenda reial. Tot això formava part de la política d'equilibris, ja que Martí l'Humà havia hagut de negar algunes demandes que li va fer el Consell de Cent al final del setembre de 1397. A principi de

2. Barcelona, Facultat de Filosofia i Lletres (Universitat de Barcelona), 1971, vol. I, amb introducció, notes i comentaris de Jordi Rubió Balaguer.
3. *Documentos para la historia...*, doc. 60, pàg. 93-93. ACA, reg. 2240, 37.

març de 1398 el rei tornà a rebre a Saragossa un altre missatger de Barcelona, que va residir dues setmanes a la cort. Al cap de pocs dies d'haver partit, el rei va expedir la seva inesperada proposta al Consell de Cent -la creació d'una universitat-, que en certa manera compensava la seva anterior negativa.

Una setmana després el Consell de Cent es va reunir, probablement abans de rebre la carta reial, però havent estat prèviament informat del contingut per un enviat del rei que tenia l'encàrrec de temptejar l'opinió dels consellers de la ciutat. D'aquesta manera, l'1 de febrer de 1398[4] el Consell de Cent comunicà al sobirà que no acceptava que instal·lés a Barcelona l'Estudi General que el monarca havia decidit demanar al papa Benet XIII per a alguna ciutat dels seus regnes, ja que el Consell creia que el profit i l'honor que se n'obtindrien serien inferiors als perills i escàndols que en podrien sorgir com a conseqüència.

Amb aquests documents de principi de 1398 es van iniciar una sèrie d'iniciatives de Martí l'Humà a favor de l'ensenyament superior a Barcelona, que van cristal·litzar finalment en la fundació de l'Estudi General de Medicina i Arts.

La ràpida i contundent resposta de les autoritats barcelonines no desanimà el rei, ja que al cap de quinze dies de la negativa va escriure, sempre des de Saragossa, al seu enviat a Avinyó perquè demanés al pontífex no un «estudi general de tota facultat» per a Barcelona, sinó un estudi general de teologia per a Lleida.[5] Era una manera d'aplacar el malestar suscitat en l'Estudi General de Lleida, inquiet per la iniciativa règia respecte a Barcelona, ja que suposava un greu perjudici per a la ciutat del Segre. La poca receptibilitat del pontífex avinyonès pel que fa a la petició de Martí l'Humà, tampoc va desanimar el rei, que provà aquest cop en un altre terreny que esperava que fos més favorable, la fundació a Barcelona d'un estudi general de medicina.

El 10 de desembre de 1400 el monarca demanà al papa avinyonès Benet XIII que concedís a l'Estudi General de Medicina, que havia decidit fundar a Barcelona, els

4. *Documentos para la historia...*, doc. 61, pàg. 94-95. *AHCB*, Llibre del Consell, XXVII (1395-1398), 140.
5. *Documentos para la historia...*, doc. 63, pàg. 96, Saragossa, 15 de febrer de 1398. En aquesta carta el rei diu que, ja que Barcelona no vol tenir l'Estudi, l'enviat ha de demanar al papa un privilegi d'Estudi General amb Facultat de Teologia a favor de Lleida amb tots els privilegis de París.

mateixos privilegis que tenia el de Montpeller.[6] La petició que es va fer al pontífex començà amb una sentència que recorda molt el preàmbul dels estatuts de l'Estudi de Medicina de Montpeller; al mateix temps fou important l'elogi que va fer el monarca de la ciutat de Barcelona i el fet que ressaltés que, gràcies a la futura fundació, els alumnes, si residien al mateix lloc que els seus pares, estarien lliures dels perills dels llargs viatges, el regne s'enriquiria amb homes savis i guanyaria renom davant dels estrangers.

El rei va fer la fundació, com afirma Vincke, sense esperar que el papa hagués contestat la seva petició, i en efecte, tal com apareix en el document datat a València el 24 de setembre de 1402, no havia rebut encara resposta a la seva súplica.[7]

La fundació oficial de l'Estudi General de Medicina de Barcelona es va fer per la voluntat règia, tal com consta en el privilegi reial del 10 de gener de 1401, motiu d'aquesta publicació commemorativa. Com si el sobirà hagués intuït l'oposició frontal del Consell de Cent, posà tots els membres del futur Estudi General sota la seva reial protecció i salvaguarda especials. En les cartes que va dirigir a les autoritats de Barcelona, declarà també que va fer la fundació tant per preservar la seva salut com la dels habitants de la ciutat. Pel que ha demostrat després la documentació, fins a l'abril de 1402, el monarca no comunicà als consellers ni a la vegueria de Barcelona l'existència de la nova institució, quan aquesta ja funcionava i tenia canceller i degà.

Un privilegi semblant al donat per Martí l'Humà fou el concedit pel seu germà, Joan I, a l'Estudi de Lleida el 3 de juny de 1391; si bé el privilegi del rei Martí era molt més ampli, ja que el primer només concedia cada trienni el cos d'un condemnat, ara havien de ser almenys dos cada any, segons ho volgués l'Estudi. L'única limitació era que s'excloïen els cadàvers dels naturals de la ciutat de Barcelona. De totes maneres cal destacar que amb anterioritat a aquests privilegis dels fills de Pere el Cerimoniós, ja a Barcelona, el 1370, es va fer l'anatomia d'una esclava davant de diversos metges cristians i jueus, reunits en el convent dels franciscans, amb la finalitat d'aclarir i interpretar la raó de les epidèmies que arrasaven Barcelona i altres indrets de Catalunya.

6. *Documentos para la historia...*, doc. 66. pàg. 101. ACA, reg. 2291, 41.
7. *Documentos para la historia...*, doc. 79, pàg. 138-139. ACA, reg. 2291.

Abans de la fundació legal de l'Estudi General de Medicina el 1401, els metges de Barcelona segurament ja havien tingut amb anterioritat algun lligam corporatiu, almenys aquells que podien demostrar i sobretot posseir un grau universitari, i també hi degué haver alguna pràctica didàctica de la medicina patrocinada per la pròpia ciutat. Aquesta és la raó per la qual els consellers van considerar com a metges de la Casa Reial els que ensenyaven en aquest estudi general. Era potser una manera de contrarestar la quantitat de franquícies que Martí l'Humà havia concedit als mestres de l'Estudi, entre les quals figurava que només els que pertanyien al gremi de la universitat podien «legere palam, publice vel oculte, de sciencie medicine». Aquest monopoli devia fer contradir els consellers, ja que enfrontava els metges que fins llavors havien exercit dins de l'estructura tradicional controlada pel Consell de Cent i la nova estructura sorgida arran de la creació de l'Estudi. Van ser dos grups de metges totalment enfrontats, ja que els tradicionals, sense títol universitari, es van considerar postergats, i van fer la vida impossible als metges de l'Estudi, fins a tal punt que el rei va haver de dirigir-se el 31 d'octubre de 1401 als mestres de l'Estudi, assabentat que alguns dels nomenats pensaven deixar l'ensenyament per l'oposició de certs metges i cirurgians de la ciutat, no graduats segons es creu, i comminar-los a no fer-ho fins que tinguessin substituts que poguessin mantenir els cursos de l'Estudi.[8]

Els continus enfrontaments amb el Consell de Cent i la precarietat de la fundació règia, van inclinar el monarca a reforçar la seva institució amb la creació d'una facultat d'arts liberals, allò que avui coneixeríem com de Lletres i que aleshores equivalia al batxiller, títol previ al de llicenciat. El 9 de maig de 1402 el sobirà des de València va afegir a l'Estudi de Medicina una facultat d'Arts, que va significar de fet el reforçament de la seva creació mèdica i sobretot el precedent més immediat del que després es conegué com la Universitat de Barcelona. A partir de 1402 sempre apareix en tota la documentació la denominació d'Estudi General de Medicina i Arts, institució que després pel privilegi d'Alfons el Magnànim del 3 de setembre de 1450 es convertí en l'Estudi

8. En dues cartes datades a València el 9 d'abril de 1402, i el 12 del mateix mes i any, el rei insisteix davant dels consellers de Barcelona perquè rebin favorablement l'Estudi de Medicina que ha fundat i al mateix temps recomana al regent de la vegueria que protegeixi els professors, estudiants i els seus familiars; fins i tot el mateix monarca concedeix la seva especial protecció al canceller, al degà, als mestres i als estudiants, així com als seus familiars i béns, en l'extensió permesa per les constitucions de Catalunya. Fins a aquest punt havia arribat a ser de tensa la situació en el món mèdic de Barcelona. A *Documentos para la historia...*, doc. 72-74, pàg. 112-115.

General de Barcelona, en el qual finalment es fongueren la fundació de Martí l'Humà i les escoles preexistents del municipi i la catedral de Barcelona.

Va ser tanta la fe que l'últim sobirà per línia directa de la Casa de Barcelona va tenir en l'Estudi General de Medicina que, el 23 de setembre de 1403,[9] el mateix monarca va escriure des de València a Antoni Ricart i a Francesc de Granollachs, «canceller del dit Studi de medicina», i els va encarregar que vetllessin per la salut dels seus dos néts, fills naturals del rei de Sicília, Martí el Jove, els quals el mercader Francesc de Casaja va portar d'aquella illa i va allotjar a casa seva a Barcelona. Era potser una premonició de l'extinció de la dinastia per la salut malaltissa dels últims plançons i la prematura mort de Martí el Jove.

Salvador Claramunt
Catedràtic d'Història Medieval. Universitat de Barcelona

9. *ACA*, reg. 225, 184.

EL PRIVILEGI

No s'ha conservat el document original de la fundació dels estudis de medicina a Barcelona. Disposem de la còpia registral existent en la sèrie de la Reial Cancelleria –concretament en el reg. 2.196, «*Gratiarum* 8» del rei Martí, fols. 2v°-3v°- que, a l'efecte de donar prova fidedigna del seu contingut, substitueix àmpliament l'original.

Els registres de la reial cancelleria aragonesa sorgeixen a mitjan segle XIII per deixar constància, a l'igual dels protocols notarials apareguts al començament del segle, de l'autenticitat i veracitat del document expedit. Dins del procés d'expedició documental, que partia de l'ordre d'expedició i acabava amb el segellament i el lliurament de l'original al destinatari, un moment clau era el del seu registrament. Tot sembla indicar que es registrava el document ja llest per al seu tràmit final de segellament. L'estricta coincidència d'ambdós textos queda garantida per l'anotació *probatum*, «comprovat», al peu de la còpia registral i al dors o al peu de l'original segons que el document sigui en paper o en pergamí.

Entre el text registrat i l'expedit a penes hi ha diferències. En el text registrat s'etcetera la relació de regnes sobre els quals el rei atorgador exerceix la seva sobirania, i falten els elements validadors, com per exemple la signatura autògrafa de l'atorgador, que quan apareix no és de la mà del signatari, sinó posada per l'escrivà del registre per deixar constància que se signà, el *signum regis* que, quan apareix, no és l'autenticador posat per l'escrivà que se n'encarrega, sinó simplement copiat pel de registre amb la mateixa finalitat que la signatura autògrafa, i la menció del registre en què es copià.

La creació de la Facultat de Medicina adopta la forma documental de privilegi. El privilegi, d'acord amb la seva etimologia (de *privus* i *lex*) és l'instrument del poder reial per dictar disposicions legals no contemplades en els cossos legislatius vigents.

Anant ja concretament al de la fundació de l'«estudi general de l'art auxiliar i egregi de la medicina», com literalment recull el privilegi, queda aquest erigit per privilegi de 10 de gener de 1401. El privilegi és un tipus documental present en totes les cancelleries sobiranes medievals europees. En la de la Corona d'Aragó, apareix ja fixat en la forma que tindrà durant els segles baixmedievals en el regnat de Jaume I, i serà tipificat en les conegudes Ordinacions de casa i cort de Pere III-IV el Cerimoniós. En les Ordinacions es determina, i això és el que el distingeix com a tipus documental, que ha de portar el signe reial amb tots els títols del rei i una relació de testimonis.

Prenent de model qualsevol privilegi original de Martí, podem reconstruir hipotèticament com seria el de la fundació dels estudis de medicina.

Probablement la I inicial de «In», estaria destacada. Seguiria el text, encapçalat pel nom del rei amb expressió de tots els seus títols de sobirania (*Martinus Dei gracia rex Aragonum, Valencie, Maioricarum, Sardinie et Corsice, comesque Barchinone, Rossilionis et Ceritanie*), seguit del preàmbul, la disposició, les clàusules penals, etc. habituals, tot això a ratlla seguida fins a la data inclusivament. Tanca el text la subscripció, autògrafa en l'original, del vicecanceller Matia de Castelló.

En línia a part, el signe reial *Martínus Dei gracia* (...) amb l'enumeració, preceptiva, de tots els seus regnes i senyories. El signe reial, *signum regis*, dels reis de la Corona d'Aragó, després d'una llarga evolució que arrenca en la simple creu dels comtes de Barcelona, que es combina amb el signe dels reis estrictament aragonesos queda fixat sota Jaume I. Quan quedi fixat adoptarà la forma d'un rombe apaïsat, amb diagonals i apotemes i creus exteriors als vèrtexs. A partir de Pere el Cerimoniós, el rei posa de la seva mà, com sovint ho palesa una clara diferència de color de la tinta, un trident al pal de la lletra «l» de «Valencia». El Cerimoniós acostuma a posar-lo a la intitulació. Joan I el passa, en els documents en què hi figura el *signum regis*, al lloc corresponent del títol; als privilegis i concessions menors sense signe reial i en les cartes en paper el col·loca a la intitulació.

A continuació del *signum*, la firma autògrafa del rei. Amb Pere III-IV el Cerimoniós s'inaugura a la corona aragonesa l'hàbit de posar la firma autògrafa del rei en documents tant en paper com en pergamí. La seva firma als privilegis que porten *signum regis* s'ha de considerar un senyal més d'autenticitat, jutjada convenient a partir del fet que el signe reial no és de la mà del rei sinó posat per un escrivà. Als privilegis, la firma autògrafa de Pere apareix al final del text. És Joan I qui la porta al final del signe reial.

Seguiria la relació de testimonis. Pel que fa a aquests, la seva presència física en l'acte concret, com la pròpia reglamentació del Cerimoniós precisa, no és imprescindible, sinó que n'hi ha prou amb la seva simple presència a la cort: *aprés sinc noms de testimonis de les pus nobles e asenyalades persones que ladonchs en nostra cort presents seran, jatsia que al dit atorgament presents no seran estades.* (*Ordinacions*, cap. *Dels scrivans de manament de la nostra scrivania*).

Els qui apareixen al privilegi són, efectivament, persones de rellevància a la cort de Martí i molt lligades a la seva persona:

Són, en primer lloc, dos eclesiàstics:

> Pere SERRA, cardenal de Catània. Valencià. Forma part, essent bisbe de Catània, del consell de Martí el Jove quan el Vell passa el 1396 als territoris peninsulars per fer-se càrrec de la corona a la mort de Joan I. És promogut al cardenalat per Benet XIII l'any 1397, el 20 de setembre, vigília de sant Mateu.
>
> Joan ERMENGOL. Bisbe de Barcelona, entre 1398 i 1408.

Un alt càrrec de l'administració siciliana:

> Jaume de PRADES, almirall del regne de Sicília. De família reial com a besnét de Jaume II, nét de l'infant Pere, comte de Ribagorça i Dénia, des de 1325, i de Prades, des de 1341 per permuta d'Empúries per Prades amb el seu germà Ramon Berenguer, cosí segon, per tant, del rei. Amb el seu germà Pere forma part del grup de cavallers que el 1392 passen a Sicília per posar Martí al tron del regne. El 1400 va acompanyar Violant d'Aragó a la Provença per lliurar-la al rei de França. El juny de 1399, estant a Sicília, el rei li va enviar l'empresa o

orde "de la corretja" de la qual n'era el cap. L'agost de 1401, com a almirall de Sicília, és enviat a Sicília a la mort de la reina Maria per garantir la pau. El 1403 era conestable d'Aragó.

I els dos camarlencs ordenats en les *Ordinacions* del Cerimoniós:

Berenguer de CRUÏLLES. És un dels cavallers que passen el 1392 a Sicília amb Martí per posar-lo en possessió del regne. El 1395 intervé en les negociacions amb el comte d'Armagnac perquè deixés de prestar suport al de Foix (pretendent al tron d'Aragó com a espòs de Joana, filla de Joan I) i atraure'l al bàndol de Joan I. Es troba al costat del rei quan rep a Badalona l'ambaixada d'Aragó que li requereix coronar-se i armar-se cavaller a Saragossa, el 1397.

Roger de MONTCADA. També passa a Sicília el 1392 per posar Martí en possessió del regne. Cambrer de la reina Violant el 1392.

El nombre de testimonis, que en el regnat de Pere I-II el Catòlic és encara variable, s'estabilitza en cinc cap a la segona meitat del regnat de Jaume I, disposats 1:2:2. Aquest serà el nombre que fixarà Pere el Cerimoniós i que es mantindrà al llarg dels segles posteriors.

La relació de testimonis aniria en tres columnes, de la manera següent:

Testes sunt	*Johannes episcopus Barchinone*	*Berengarius de Crudiliis*
Petrus cardinalis Cathanie	*Jacobus de Prades admiratus regni Sicilie*	*Rogerius de Montecatheno milutes camarlengi*

Tancaria el document el signe notarial de Guillem Ponç, secretari del rei: *Sig* (signe notarial) *num Guillelmi Poncii* (...). Tots els escrivans de *manament* o notaris reials eren notaris a títol propi i ple. Per això la seva intervenció en certs tipus documentals, i el privilegi n'és un, que tenen valor perpetu, és a títol de notari fedatari i, per això, la doble menció, en la *iusso*, com a notari reial, i al peu, tancant-lo amb el seu signe notarial. En morir Pere el Cerimoniós era lloctinent del protonotari. Fou imputat en el procés obert el 1387 contra la camarilla de Sibil·la de Fortià.

Tots aquests elements apareixen en el text registrat, tot i que no en forma original. I hi manquen algunes formalitats finals d'expedició que serien visibles en l'exemplar lliurat.

Per descomptat, la firma *rex Martinus* que apareix en el text registral, no és autògrafa, sinó que ha estat posada per algú, que no és l'autor de la còpia registral o, si l'és, no ha estat posada alhora, sinó *a posteriori*, com ho demostra el diferent color de la tinta. No apareix tampoc el *signum regis*, que es posa en l'original, ni apareix tampoc el trident del pal de la ela de València que, com he assenyalat, és feta a mà pel rei en l'original. El signe notarial de Guillem Ponç queda reduït a una simple creu testimonial. Apareix la *iussio* i el mot *probatum*, després del qual trobem el nom de la persona que va realitzar la comprovació, Hug, formalitat aquesta freqüent només en els registres de gràcies del rei Martí, i que no va tenir continuïtat.

El privilegi estaria estès en pergamí, material escriptori que, arran de l'aparició del paper en els hàbits de la cancelleria, es reservava per a l'expedició de documents d'importància, sigui pel seu contingut, sigui per la persona a la qual estava adreçat el document. Tindria la forma apaïsada normal en els documents de la cancelleria aragonesa.

La vora inferior del full de pergamí estaria doblegada sobre si mateixa per formar la plica. Sota la plica hi aniria la menció de la *iussio*: *Dominus rex mandavit mihi Guillelmo Poncii*, i a sota d'aquesta el *probatum*, i la nota del registre en què fou registrat: *In Gratiarum VIII*º.

Finalment, d'uns forats de trepant romboïdal situats al centre de la plica en penjaria, de cintes de seda amb els pals reials, el segell. Que seria el segell gran o *flahon*. El flaó de Martí, com recull la clàssica *Sigil·lografia catalana* de Ferran de Sagarra (núm. 77) segueix les pautes imposades per Pere el Cerimoniós en les seves *Ordinacions*, cap. *De la manera de segellar ab segells de cera e ab bulla*. Representa, doncs, a l'anvers, el rei assegut al tron sota cobricel gòtic amb abundants figures d'àngels músics i guerrers, coronat, amb ceptre o verga florida a la dreta i globus amb creu de doble travesser a l'esquerra, i la llegenda: + *DIGILITE : JUSTICIAM : QUI : JUDICATIS : TERRAM : ET : OCCULI : VESTRI : VIDEANT : EQUITATEM* habitual des de Jaume II. Al revers, el rei muntat a cavall, cavalcant a l'esquerra (dreta de l'expectador), amb escut a l'esquerra amb les armes reials a l'igual de les gualdrapes del cavall, espasa a la dreta, amb elm i lligadura amb la cimera del drac, representació també habitual, llevat que amb Martí desapareix l'estrella que el precedeix des de Jaume I, i la llegenda MARTINUS : DEI : GRACIA : REX : ARAGONUM : VALENCIE : MAIORICARUM : SARDINIE : ET : CORSICE : COMESQUE BARCHINONE : ROSSILIONIS : ET : CERITANIE.

Al dors, els documents estesos en pergamí no recullen cap dada. Si s'hagués conservat l'original tindria, sens dubte, alguna anotació de contingut o d'arxiu posada pel destinatari del privilegi.

Rafael Conde y Delgado de Molina
Arxiu de la Corona d'Aragó

PRESENTACIÓN

La Universidad de Barcelona celebró hace muy poco el 550 aniversario de su fundación. El 3 de setiembre de 1450, el rey Alfonso el Magnánimo concedió, a petición del Consejo de Ciento, el privilegio de fundación de un Estudio General, en Barcelona, de todas las ciencias y con el mismo privilegio que Lleida y Perpinyà.

Pero la historia generalmente es más compleja, y esto se agrava en las cuestiones universitarias, ya que a menudo al hecho del prestigio que conlleva la institución universitaria, se le añade que la universidad comporta más libertad y una serie de privilegios que habitualmente (ahora como antes) preocupan a los gobernantes.

Así, el origen remoto de la Universidad de Barcelona hay que buscarlo en el año 1398, en un primer intento por parte del rey Martín el Humano de dar una universidad a la ciudad, que se opuso rotundamente al ofrecimiento.

Finalmente, en vista de las dificultades, sin tener la autoridad papal y con la oposición del Consejo de Ciento, el 10 de enero de 1401, el propio rey otorgó el privilegio de fundación de un Estudio de Medicina con la misma prerrogativa que el de Montpeller. Por lo tanto, el pasado 10 de enero de 2001 se cumplió el 600 aniversario de la creación de la Facultad de Medicina.

La historia de la Facultad a partir de aquel momento tampoco resultó fácil, aunque ha tenido un papel muy importante y durante muchos años fue la promotora de los adelantos científicos de la Medicina en nuestro país y ha jugado un papel muy importante en la introducción de la investigación en la labor universitaria y asistencial.

Nos ha parecido que sería interesante dar a conocer este documento que en realidad corresponde al antecedente del inicio de la propia Universidad, y que refleja históricamente la marcada e intensa relación que siempre ha existido entre la Universidad de Barcelona y su Facultad de Medicina.

El facsímil se acompaña de un erudito estudio del marco histórico en el que se produjo, escrito por el Profesor Salvador Claramunt, catedrático de Historia Medieval de la UB, para comprender bien el contexto de su problemática, junto con el comentario diplomático, la transcripción y la traducción del documento hechos por el Sr. Rafael Conde y Delgado de Molina, del Archivo de la Corona de Aragón, donde está guardado.

Desearíamos aprovechar para poner de manifiesto la magnífica colaboración que una vez más hemos encontrado en la Fundación Uriach 1838, que ha contribuido decisivamente a que este proyecto fuera una realidad, así como al Servicio de Publicaciones de nuestra Universidad por su ilusión y dedicación a este trabajo.

Antoni Caparrós
Rector de la Universitat de Barcelona

Josep Antoni Bombí
Degà de la Facultat de Medicina

EL ESTUDIO GENERAL DE MEDICINA PRIMER ESTUDIO GENERAL BARCELONÉS

La fundación y consolidación de lo que después se conocerá como la Universidad de Barcelona se realizó a través de un largo y complicado proceso que duró desde 1398 hasta 1536 y que puso de manifiesto la sinuosa y dubitativa política universitaria del *Consell de Cent* de Barcelona, así como la voluntad de varios monarcas de la Corona de Aragón de dotar de un Estudio General a la ciudad de Barcelona.

Los verdaderos y lejanos orígenes de este proceso, que culminará durante el reinado de Carlos I, tiene sus raíces en la terca voluntad de Martín I el Humano, último soberano por línea sucesoria directa de la Casa condal de Barcelona.

La verdadera historia no es otra, como sucede tantas veces, que la historia de un desencuentro entre dos instituciones por ejercer el control sobre una institución todavía nonata, pero que rompía el monopolio del ejercicio de la medicina en una ciudad. De hecho, se temía el futuro enfrentamiento entre los médicos que hasta entonces ejercían con el beneplácito del municipio barcelonés, y los futuros galenos que pudiesen salir de un Estudio General de Medicina, que la ciudad no había solicitado.

Martín I el Humano (1395-1410), que fue un monarca, según Johannes Vincke[1], modesto pero tenaz, persiguió una política universitaria notablemente personal, de altos vuelos y bien meditada.

Martín I el Humano vio o presintió la futura evolución de los puntos de vista de la política universitaria de su padre, Pedro el Ceremonioso, y de su retatarabuelo Jaime I, muy interesado éste en la Facultad de Derecho de Montpellier. Pero el rey Martín I, al tropezar con obstáculos que se le presentaron, respetó el recuerdo del criterio de sus predecesores y se vio obligado a enterrar alguna de sus iniciativas.

1. *Die Hochschulpolitik der aragonesischen Krone im Mittelalter*, Braunsberg, 1942.

La medicina, que después acabaría enseñándose en los Estudios Generales de Medicina del occidente medieval y en las posteriores Facultades, tiene sus orígenes en las escuelas médicas de la ciudad de Salerno, población situada al sureste de Nápoles en la región de Campania. Salerno, por su situación geográfica próxima a Sicilia y emplazada en una verdadera encrucijada de caminos en donde abundaban los monasterios, exponentes de la tradición médica clásica, era un lugar en donde también se palpaba la influencia de la cultura árabe e islámica en general. Todo ello permitió que en el s. XII ya existieran unas escuelas médicas famosas por sus antidotarios y por haberse formado en ellas médicos de renombre, que habían sido llamados por los pontífices de Roma, los emperadores y ciertos reyes.

Los acontecimientos políticos y el saqueo de Salerno por el emperador Enrique VI en 1193 hicieron que algunos médicos emigrasen al sur de Francia a lo largo del s. XII, especialmente a Provenza y a la ciudad occitana de Montpellier, que desde hacía poco tiempo estaba vinculada a la Corona de Aragón por el matrimonio de la hija del señor de la ciudad, María, con el rey de Aragón y conde de Barcelona, Pedro el Católico, ambos padres de Jaime I.

Montpellier, próxima al mundo hispánico, situada en un área en donde abundaban los mercaderes y médicos judíos, y con una notable influencia de la cultura de al-Andalus, pronto se convirtió en el segundo centro de enseñanza médica, si bien en ambos casos su reconocimiento legal en lo que hoy denominamos universidades no llegó hasta entrado el siglo XIII, hecho que no impidió que sus médicos gozasen ya de fama universal desde un siglo antes.

Si consideramos la escuela médica de Montpellier como la primera existente en la Corona de Aragón, el segundo centro de enseñanza médico de la misma Corona fue el llamado Estudio General de los dominicos de Barcelona, existente ya en 1297, año en el que disponía ya de una subvención del rey Jaime II.

El tercer centro de enseñanza médica de la Corona de Aragón, y segundo de Cataluña, será el de la Facultad de Medicina del Estudio General de Lérida, Estudio fundado por Jaime II en 1300, y que según el privilegio fundacional tendrá el monopolio de la enseñanza universitaria en todos los territorios de la Corona de Aragón.

Finalmente llegamos al cuarto centro de enseñanza de la medicina, el tercero de Cataluña por cronología, el Estudio General de Medicina de Barcelona del cual celebramos este año de 2001 el seiscientos aniversario de su fundación.

Antonio de la Torre en *Documentos para la Historia de la Universidad de Barcelona*[2] presenta una decena de documentos, inéditos hasta entonces, sobre el Estudio General de Medicina, que van desde 1398 hasta 1408.

Martín I el Humano no podía ignorar que el *Consell de Cent* ya se había manifestado opuesto, en 1377, al propósito que alguien abrigó de trasladar a Barcelona el Estudio General de Lérida. Existía una rotunda negativa de las autoridades barcelonesas que en realidad rechazaba no únicamente un posible traslado, sino la creación de un Estudio General en Barcelona. A pesar de estos precedentes, el rey, casi veinte años después, ofreció al *Consell de Cent* la aceptación de un privilegio que pensaba pedir al pontífice para que Barcelona tuviera un «Estudi General de tota facultat». Esta petición real significaba la fundación de una tercera universidad en tierras catalanas, después de las ya existentes de Lérida y Perpiñán.

Esta carta del rey al *Consell de Cent* está fechada el 23 de enero de 1398[3], muy pocos meses después del juramento del monarca en Zaragoza. La idea de la oferta del Monarca parece que era dar una satisfacción que halagara a los *consellers* de Barcelona, ya que con su oferta se aumentaría el prestigio de la ciudad con una institución cuyo logro no estaba al alcance de las facultades de aquellos y que, por otra parte, no comprometería ni gravaría la siempre raquítica hacienda real. Todo ello formaba parte de la política de equilibrios, ya que Martín I el Humano había tenido que negar algunas demandas que le fueron hechas por el *Consell de Cent* a fines de setiembre de 1397.

2. Vol. I, Facultad de Filosofía y Letras, Universidad de Barcelona, 1971, con introducción, notas y comentarios de Jordi Rubió Balaguer.
3. Doc. 60 de *Documentos para la Historia de la Universidad de Barcelona*, pp. 93-93.ACA, Reg. 2240, 37.

A primeros de marzo de 1398 el rey volvió a recibir en Zaragoza a otro mensajero de Barcelona, el cual residió un par de semanas en la corte. A los pocos días de su partida, el rey expidió su inesperada propuesta al *Consell de Cent*, la creación de una Universidad, que en cierta manera compensara su anterior negativa.

Una semana después, se reunió el *Consell de Cent*, probablemente antes de recibir la carta real, aunque informado del contenido de ésta por un enviado del rey, que tenía el encargo de tantear la opinión de los consejeros de la ciudad. De esta manera, el 1 de febrero de 1398[4], el *Consell de Cent* comunica al soberano que no acepta que se instale en Barcelona el Estudio General que el monarca ha decidido pedir al papa Benedicto XIII para alguna ciudad de sus reinos, ya que el *Consell* creía que el provecho y honor que se obtendrían serían inferiores a los peligros y escándalos que se podrían obtener.

Con estos documentos de principios de 1398 se inicia la labor que Martín I el Humano realizaría en favor de la enseñanza superior en Barcelona y que cristalizarían finalmente en la fundación del Estudio General de Medicina y Artes.

La rápida y contundente respuesta de las autoridades barcelonesas no desanimó al rey, ya que a los quince días de la negativa escribió, siempre desde Zaragoza, a su enviado en Aviñón para que pidiera al pontífice no un «Estudi General de tota facultat» para Barcelona, sino un Estudio General de teología para Lérida[5]. Era una manera de aplacar el malestar suscitado en el Estudio General de Lérida inquieto por la iniciativa regia respecto a Barcelona ya que suponía un grave perjuicio para la ciudad del Segre. La poca receptibilidad del pontífice aviñonés a la petición de Martín I el Humano tampoco desanimó al rey, quién optó por probar esta vez en otro terreno, que suponía más favorable, fundar en Barcelona un Estudio General de Medicina.

El 10 de diciembre de 1400 el monarca pide al papa aviñonés Benedicto XIII que conceda al Estudio General de Medicina que ha decidido fundar en Barcelona los mismos privilegios que tiene el de Montpellier[6]. La petición al pontífice se inicia con una sentencia que además de recordar mucho el preámbulo de los estatutos del Estudio de Medicina

4. *Documentos para la Historia de la Universidad de Barcelona*, doc. 61, pp 94-95. AHCB, *Llibre del Consell*, XXVII (1395-1398), 140.
5. *Documentos para la Historia...* doc. 63, p.96. Zaragoza, 15 de febrero de 1398. En dicha carta el rey dice, ya que Barcelona no quiere tener el Estudio, debe pedir al papa un privilegio de Estudio General con Facultad de Teología a favor de Lérida con todos los privilegios de París.
6. *Documentos para la Historia de la Universidad de Barcelona*, doc. 66, p. 101. ACA, reg 2291, 41.

de Montpellier, es interesante por el elogio que el monarca hace de la ciudad de Barcelona y porque resalta que, gracias a la futura fundación, los alumnos, al seguir residiendo en el mismo lugar de sus padres, se verán libres de los peligros de los largos viajes, y el reino se enriquecerá con hombres sabios y ganará renombre ante los extranjeros.

El rey hizo la fundación, como afirma Vincke, sin esperar que el papa hubiese contestado a su petición, y en efecto, tal como aparecerá en el documento fechado en Valencia el 24 de setiembre de 1402, no había recibido todavía respuesta a su súplica[7].

La fundación oficial del Estudio General de Medicina de Barcelona se hizo por la voluntad regia tal como consta en el privilegio real de 10 de enero de 1401, motivo de esta publicación conmemorativa.

Como si el soberano intuyera la oposición frontal del *Consell de Cent*, puso a todos los miembros del futuro Estudio General bajo su real protección y salvaguardia especiales.

En las cartas que dirigió a las autoridades de Barcelona declara también que realizó la fundación tanto para preservar su salud como la de los habitantes de la ciudad. Por lo que demostrará después la documentación, hasta abril de 1402, el monarca no comunicó a los *Consellers* y a la veguería de Barcelona la existencia de la nueva institución hasta el mismo momento en que ya funcionaba y tenía canciller y decano.

Privilegio parecido al dado por Martín I el Humano fue el concedido por su hermano, Juan I, al Estudio de Lérida el día 3 de junio de 1391; si bien el privilegio del rey Martín era mucho más amplio, ya que aquel sólo concedía cada trienio el cuerpo de un ajusticiado, mientras que en el privilegio del rey Martín habían de ser dos por lo menos todos los años, según lo quisiera el Estudio, y con la única limitación de que se excluyeran los cadáveres de los naturales de la ciudad de Barcelona.

De todas maneras, hay que hacer constar que, con anterioridad a dichos privilegios de los hijos de Pedro el Ceremonioso, ya en Barcelona, en 1370, se hizo la anatomía de una esclava ante diversos médicos cristianos y judíos, reunidos en el convento de los franciscanos, con la finalidad de aclarar e interpretar la razón de las epidemias que azotaban Barcelona y otros lugares de Cataluña.

7. ACA, reg. 2291, 138v-139. *Documentos para la Historia*, doc. 70, pp. 138-139.

Antes de la fundación legal del Estudio General de Medicina en 1401, los médicos de Barcelona previeron alguna trabazón corporativa, sobre todo los que podían demostrar y ostentar un grado universitario, así como también debió de haber prácticas didácticas de la medicina auspiciadas por la propia ciudad. Esta es la razón por la que los *Consellers* llegaron a considerar médicos de la Casa Real a los que enseñaban en dicho Estudio General. Era quizás una manera de contrarrestar las muchas franquicias que Martín I el Humano había concedido a los maestros del Estudio, entre las que figuraba la de que únicamente los que pertenecían al gremio de la universidad podían «legere palam, publice vel oculte, de sciencie medicine». Este monopolio debió de contrariar a los *Consellers* ya que enfrentaba a los médicos que hasta entonces habían ejercido en el seno de la estructura tradicional controlada por el *Consell de Cent* y la nueva estructura surgida a raíz de la creación del Estudio. El enfrentamiento fue radical; los médicos tradicionales, sin título universitario, se consideraron postergados, e hicieron la vida imposible a los médicos del Estudio. El propio rey tuvo que dirigirse el día 31 de octubre de 1401 a los maestros del Estudio, al haberse enterado de que algunos de ellos pensaban abandonar la enseñanza ante la oposición de ciertos médicos y cirujanos de la ciudad, no graduados según se cree, y les conminó a que no lo hicieran hasta que tuvieran sustitutos que pudieran mantener los cursos del Estudio[8].

Los continuos enfrentamientos con el *Consell de Cent* y la precariedad de la fundación regia inclinaron al monarca a reforzar su institución con la creación de una facultad de Artes liberales, hoy nuestras Letras, entonces equivalente al bachiller, título previo al de licenciado. El 9 de mayo de 1402 el soberano, desde Valencia, añade al Estudio de Medicina una facultad de Artes, lo que de hecho significó el reforzamiento de su creación médica y, sobre todo, el precedente más inmediato de lo que después se conocería como la Universidad de Barcelona. A partir de 1402 en toda la documentación siempre aparecerá la denominación de Estudio General de Medicina y Artes, institución que después, por el privilegio de Alfonso el Magnánimo de 3 de setiembre de 1450, se convertirá en el Estudio General de Barcelona, en el que finalmente se integrarán la fun-

8. En dos cartas fechadas en Valencia el 9 de abril de 1402, y el 12 del mismo mes y año, el rey insiste ante los *consellers* de Barcelona para que reciban favorablemente el Estudio de Medicina por él fundado; a la vez que recomienda al regente de la veguería que proteja a los profesores, estudiantes y sus familiares; llegando incluso al mismo monarca a conceder su especial protección al canciller, decano, maestros y estudiantes, así como a sus familiares y bienes, en la extensión permitida por las Constituciones de Cataluña. Hasta tal punto había llegado a ser tensa la situación en el mundo médico de Barcelona. Doc. 722, 73 y 74, pp. 112-115 en *Documentos para la Historia de la Universidad de Barcelona.*

dación de Martín I el Humano y las escuelas preexistentes del municipio y de la catedral de Barcelona.

Fue tanta la fe que el último soberano por línea directa de la Casa de Barcelona tuvo en su Estudio General de Medicina que, el 23 de setiembre de 1403[9], el propio monarca escribió desde Valencia a Antoni Ricart y a Francesc de Granollachs, «canceller del dit Studi de medicina», encargándoles que velaran por la salud de sus dos nietos, hijos naturales del rey de Sicilia, Martín el Joven, a quienes el mercader Francesc de Casaja había traído de aquella isla y alojaba en su propia casa, en Barcelona. Tanto desvelo por sus nietos tal vez fuera una premonición de la extinción de la dinastía, por la salud enfermiza de sus últimos vástagos y la prematura muerte de Martín el Joven.

Salvador Claramunt
Catedrático de Historia Medieval. Universitat de Barcelona

9. ACA, reg. 225, 184.

EL PRIVILEGIO

No se ha conservado el documento original de la fundación de los estudios de medicina en Barcelona. Disponemos de la copia registral existente en la serie de registros de la Real Cancillería –concretamente en el reg. 2.196, «*Gratiarum* 8» del rey Martín, fols. 2vº-3vº– que, a efectos de dar prueba fidedigna de su contenido, sustituye sobradamente al original.

Los registros de la real cancillería aragonesa surgen a mediados del siglo XIII para dejar constancia, al igual que los protocolos notariales aparecidos a principios del siglo, de la autenticidad y veracidad del documento expedido. Dentro del proceso de expedición documental, que partía de la orden de expedición y acababa en el sellado y entrega del original al destinatario, un momento clave era el de su registración. Todo parece indicar que se registraba el documento ya listo para su trámite final de sellado. La estricta coincidencia de ambos textos queda garantizada por la anotación *probatum*, «comprobado», al pie de la copia registral y al dorso o al pie del original según el documento sea en papel o en pergamino.

Entre el texto registrado y el expedido apenas hay diferencias. En el texto registrado se etcetera la relación de reinos sobre los cuales el rey otorgante ejerce su soberanía, y faltan los elementos validativos, como por ejemplo la firma autógrafa del otorgante, que cuando aparece no es de mano del firmante, sino puesta por el escribano de registro para dejar constancia de que se firmó, el *signum regis* que, cuando aparece, no es el autentificador puesto por el escribano encargado de ello, sino simplemente copiado por el de registro con la misma finalidad que la firma autógrafa, y la mención del registro donde se copió.

La creación de la Facultad de Medicina adopta la forma documental de privilegio. El privilegio, de acuerdo con su etimología (de *privus* y *lex*), es el instrumento del poder real para dictar disposiciones legales no contempladas en los cuerpos legislativos vigentes.

Yendo ya concretamente al de la fundación del «estudio general del arte auxiliar y egregio de la medicina», como literalmente recoge el privilegio, queda éste erigido por privilegio de 10 de enero de 1401. El privilegio es tipo documental presente en todas las cancillerías soberanas medievales europeas. En la de la Corona de Aragón, aparece ya fijado en la forma que tendrá durante los siglos bajomedievales en el reinado de Jaime I, y será tipificado en las conocidas ordenanzas de casa y corte de Pedro III-IV el Ceremonioso. En las Ordenanzas se determina, y esto es lo que le distingue como tipo documental, que debe llevar el signo real con todos los títulos del rey y una relación de testigos.

Tomando como modelo cualquier privilegio original de Martín, podemos reconstruir hipotéticamente cómo sería el de la fundación de los estudios de medicina.

Probablemente la I inicial de «In», estaría destacada. Seguiría el texto, encabezado por el nombre del rey con expresión de todos sus títulos de soberanía (*Martinus Dei gracia rex Aragonum, Valencie, Maioricarum, Sardinie et Corsice, comesque Barchinone, Rossilionis et Ceritanie*), seguido del preámbulo, la disposición, las cláusulas penales, etc. habituales, todo ello a un único tenor hasta la fecha inclusive. Cierra el texto la suscripción, autógrafa en el original, del vicecanciller Matías de Castelló.

En línea aparte, el signo real *Martínus Dei gracia* (...) con la enumeración, preceptiva, de todos sus reinos y señoríos. El signo real, *signum regis*, de los reyes de la Corona de Aragón, tras una larga evolución que arranca en la simple cruz de los condes de Barcelona, que se combina con el signo de los reyes estrictamente aragoneses queda fijado bajo Jaime I. Cuando quede fijado adoptará forma de un rombo apaisado, con diagonales y apotemas y cruces exteriores en los vértices. A partir de Pedro el Ceremonioso, el rey pone de su mano como a menudo lo patentiza una clara diferencia de color de la tinta, un tridente en el ástil de la letra «l» de «Valencia». El Ceremonioso suele ponerlo en la intitulación. Juan I lo pasa, en los documentos en que figura el *signum regis*, al lugar correspondiente del título; en los privilegios y concesiones menores sin signo real y en las cartas en papel lo coloca en la intitulación.

A continuación del *signum*, la firma autógrafa del rey. Con Pedro III-IV el Ceremonioso se inaugura en la corona aragonesa el hábito de poner la firma autógrafa del rey en documentos tanto en papel como en pergamino. Su firma en los privilegios que llevan *signum regis* debe considerarse una señal más de autenticidad, juzgada conveniente a partir del hecho de que el signo real no es de mano del rey sino puesto por un escribano. En los privilegios, la firma autógrafa de Pedro aparece al final del texto. Es Juan I quien la lleva al final del signo real.

Seguiría la relación de testigos. Por lo que a éstos se refiere, su presencia física en el acto concreto, como la propia reglamentación del Ceremonioso precisa, no es imprescindible, sino que basta su simple presencia en la corte: *aprés sinc noms de testimonis de les pus nobles e asenyalades persones que ladonchs en nostra cort presents seran, jatsia que al dit atorgament presents no seran estades.* (*Ordinacions*, cap. *Dels scrivans de manament de la nostra scrivania*).

Quienes aparecen en el privilegio son, efectivamente, personas de relevancia en la corte de Martín y muy ligadas a su persona:

Son, en primer lugar, dos eclesiásticos:

Pere SERRA, cardenal de Catania. Valenciano. Forma parte, siendo obispo de Catania, del consejo de Martín el Joven cuando Martín el Viejo pasa en 1396 a los territorios peninsulares para hacerse cargo de la corona a la muerte de Juan I. Es promovido al cardenalato por Benedicto XIII en 1397, el 20 de septiembre, vigilia de San Mateo.

Joan ERMENGOL, obispo de Barcelona, entre 1398 y 1408.

Un alto cargo de la administración siciliana:

Jaume de PRADES, almirante del reino de Sicilia. De familia real como biznieto de Jaime II, nieto del infante Pedro, conde de Ribargorza y Denia, desde 1325, y de Prades, desde 1341 por permuta de Empúries por Prades con su hermano Ramon Berenguer, primo segundo, por tanto, del rey. Con su hermano Pedro forma parte del grupo de caballeros que en 1392 pasan a Sicilia para poner a Martín en el trono del reino. En 1400 acompañó a Violante de Aragón a la Provenza para entregarla al rey de Francia. En julio de 1399, estando en Sicilia, el rey le envió la empresa u orden de la Correa de la que era el jefe. En agosto de 1401, como almirante de Sicilia, es enviado a Sicilia a la muerte de la reina María para garantizar la paz. En 1403 era condestable de Aragón.

Y los dos camarlengos ordenados en las *Ordinacions* del Ceremonioso:

Berenguer de CRUÏLLES. Es uno de los caballeros que pasan en 1392 a Sicilia con Martín para ponerlo en posesión del reino. En 1395 interviene en las negociaciones con el conde de Armagnac para que dejara de apoyar al de Foix (pretendiente al trono de Aragón como esposo de Juana, hija de Juan I) y atraerlo al bando de Juan I. Se encuentra al lado del rey cuando recibe en Badalona la embajada de Aragón que le requiere a coronarse y armarse caballero en Zaragoza, en 1397.

Roger de MONTCADA. También pasa a Sicilia en 1392 para poner a Martín en posesión del reino. Camarero de la reina Violante en 1392.

El número de testigos, que en el reinado de Pedro I-II el Católico es aún variable, se estabiliza en cinco hacia la segunda mitad del reinado de Jaime I, dispuestos 1:2:2. Éste será el número que fije Pedro el Ceremonioso y que se mantendrá a lo largo de los siglos posteriores.

La relación de testigos iría en tres columnas, de la siguiente manera:

Testes sunt	*Johannes episcopus Barchinone*	*Berengarius de Crudiliis*
Petrus cardinalis Cathanie	*Jacobus de Prades admiratus regni Sicilie*	*Rogerius de Montecatheno milutes camarlengi*

Cerraría el documento el signo notarial de Guillem Ponç, secretario del rey: *Sig* (signo notarial) *num Guillelmi Poncii* (...). Todos los escribanos de *manament* o notarios reales, eran notarios a título propio y pleno. Por ello su intervención en ciertos tipos documentales, y el privilegio es uno de ellos, que tienen valor perpetuo, es a título de notario fedatario y, por ello, la doble mención, en la *iussio*, como notario real, y al pie, cerrándolo con su signo notarial. A la muerte de Pedro el Ceremonioso era lugarteniente del protonotario. Fue imputado en el proceso abierto en 1387 contra la camarilla de Sibila de Fortià.

Todos estos elementos aparecen recogidos en el texto registrado, aunque no en forma original. Y faltan algunas formalidades finales de expedición que serían visibles en el ejemplar entregado.

Desde luego, la firma *rex Martinus* que aparece en el texto registral, no es autógrafa, sino que ha sido puesta por alguien, que no es el autor de la copia registral o, si lo es, no ha sido puesto en el mismo momento, sino a posteriori, como lo demuestra el diferente color de la tinta. No aparece tampoco el *signum regis*, que se pone en el original, ni aparecen tampoco el tridente del ástil de la «l» de Valencia que, como he indicado, va de mano del rey en el original. El signo notarial de Guillem Ponç queda reducido a una simple cruz testimonial. Aparece la *iussio* y la palabra *probatum*, tras la que encontramos el nombre de la persona que realizó la comprobación, Hugo, formalidad ésta frecuente sólo en los registros de gracias del rey Martín, y que no tuvo continuidad.

El privilegio estaría extendido en pergamino, material escriptorio que, tras la aparición y difusión del papel en los hábitos cancillerescos, se reservaba para la expedición de documentos de importancia, sea por su contenido, sea por la persona a la cual estaba dirigido el documento. Tendría la forma apaisada normal en los documentos de la cancillería aragonesa.

El borde inferior de la hoja de pergamino estaría doblada sobre sí mismo para formar la plica. Bajo la plica iría la mención de la iussio: *Dominus rex mandavit mihi Guillelmo Poncii*, debajo de ella el *probatum*, y la nota del registro en que fue registrado: *In Gratiarum VIII*º.

Por fin, de unos taladros en forma romboidal situados en el centro de la plica, pendería de cintas de seda con los palos reales, el sello. Que sería el gran sello o *flahon*. El flahon de Martín, según recoge la clásica *Sigil·lografia catalana* de Ferran de Sagarra (nº 77) sigue las pautas impuestas por Pedro el Ceremonioso en sus *Ordinacions*, cap. *De la manera de segellar ab segells de cera e ab bulla*. Representa, pues, en el anverso, al rey sentado en trono bajo dosel gótico con abundantes figuras de ángeles músicos y guerreros, coronado, con cetro o verga florida en la derecha y globo con cruz de doble travesaño en la izquierda, y la leyenda: + *DILIGITE : JUSTICIAM : QUI : JUDICATIS : TERRAM : ET : OCCULI : VESTRI : VIDEANT : EQUITATEM* habitual desde Jaime II. En el reverso, el rey montado a caballo, cabalgando a la izquierda (derecha del expectador), con escudo en la izquierda con las armas reales al igual que las gualdrapas del caballo, espada en la derecha, con casco y tocado con la cimera del dragón, representación también habitual, excepto que con Martín desaparece la estrella que lo precede desde Jaime I, y la leyenda *MARTINUS : DEI : GRACIA : REX : ARAGONUM : VALENCIE : MAIORICARUM : SARDINIE : ET : CORSICE : COMESQUE BARCHINONE : ROSSILIONIS : ET : CERITANIE.*

Al dorso, los documentos extendidos en pergamino no recogen dato alguno. De haberse conservado el original tendría, sin duda, alguna anotación de contenido o de archivo puesta por el destinatario del privilegio.

Rafael Conde y Delgado de Molina
Arxiu de la Corona d'Aragó